백

야

백 야

발   행 | 2023년 12월 08일
저   자 | 지성현, 김예강
그   림 | 정현재, 우현욱
펴낸이 | 한건희
펴낸곳 | 주식회사 부크크
출판사등록 | 2014.07.15.(제2014-16호)
주   소 | 서울특별시 금천구 가산디지털1로 119 SK트윈타워 A동 305호
전   화 | 1670-8316
이메일 | info@bookk.co.kr

ISBN | 979-11-410-5830-2

www.bookk.co.kr

백
야

지성현, 김예강 지음

목차

머리말

1.

안녕하십니까~

지성현(순)입니다. 저도 제 글을 써보는 건 이라
　조금 긴장되거나 그런 건 없고,

그냥 제가 늘 하는 말대로 해보겠습니다.

내가 늘 하는 말이 뭐냐고요?

나니까 가능하다. 나라서 가능하다.

나잖아. 이 말 그대로 한번 가보죠.

제가 쓴 글이니까 만족하실 거라 믿습니다.

왜냐고요?

지성현이잖아요.

2.

안녕하세요,

김예강입니다. 이런 건 처음이라 좀 어려웠을 것
같았는데, 어렵지 않고 나름 재밌었어요.

왜냐고요? 지성현이 있잖아요.

part1
겨울 그리고 봄

겨울의 이름은

겨울의 이름은
얼어버린 마음의 이름일까
이젠 없는 추억의 이름일까
온기 없는 사랑의 이름일까
보이지 않는 너의 이름일까
겨울에게 겨울이 보내는 이별의 이름일까

검은 밤바다에는 그림자가
비치지 않는다

검은 밤바다에는 그림자가 비치지 않는다
그 깊은 심연은
마치 모든 과오를 담으면서도
모두 이해한다는 듯이
비추지 않고 안아준다
단지 거대한 달빛으로 달래주기만 할 뿐

순수

모든 이들의
어린 시절이 그렇듯
모두 가슴 깊이 순수함을 품고 있었다

또한 코끼리를 삼킨
보아뱀을 그린 누군가를
모두가 품고 있지만
모든 이들이 그렇듯
쉽게 잊고 지운다
마치 현실과 타협하듯이

난춘

어지러이 떨어지는
꽃잎의 비
그 무한성의 변화를 가진 꽃잎은
그 만변의 속에 아름다움이라는
불변의 가치를 가진다
그 광경은 마치
만천에 울려 퍼지는 화우였다

겨울잠

어느 겨울날
어느 두 사람의 꼭 맞잡은 손이 있다

언제 식은 줄도 모르는 한 이의 손은
이제 곧 얼어갈 것이고

다른 이의 눈물 섞인 말은
울려 퍼지는 메아리만이 돌아올지라도
그저 겨울잠이라며 봄이 오면 다시 보길
빌어본다

어느 겨울날
어느 두 사람의 꼭 맞잡은 손이 있었다

여일

나보다 음식이 없는 이에게
음식을 베풀고

나보다 옷이 없는 자에게
옷을 베풀고

나보다 돈이 없는 이를 위해
돈을 베풀었다

이제 나에게 남은 것은
모든 것을 베풀었다는 것 하나지만
그것 하나로 모든 것은
다시 채워진 것만 같습니다

꿈 속의 나

아무도 말해주지 않았다
아무도 하라 하지 않았다
누구도 노력하라 하지 않았고
누구도 도전하라 말한 적이 없었다

그러나 모든 이들이 하길 바라고
모든 이들이 할 수 있기를 바란다

모두의 꿈은 그 자체로 바람이자 의미였다

꼭두각시 아이

내가 너를 바라보지만
너는 나를 바라보지 않아
한 번이라도 이쪽을 봐주었으면 하며
네가 바라는 내 모습을 만들어 가
내가 이렇게 하면 네가 좋아하겠지
내가 이렇게 하면 네가 미워하겠지
나는 결국 너도 원하지 않고
나도 원하지 않는
버려진 꼭두각시같이 내 모습을
잃어버렸어

불꽃은 재로 남아

불꽃은 재로 남아
이곳에 불꽃이 있었음을 보여준다
그 자리에 불꽃이 있었다고
이곳을 봐달라고

사랑의 이별은
타오르고 남은 재처럼
이곳엔 우리가 있었다고
우리는 사랑했다고
말한다

쉼표

너를 처음 본 날
내가 느낀 감정은
놀라움의 느낌표

너와 대화한 날
내가 느낀 감정은
내가 널 사랑하나의 물음표

너에게 고백하던 날
너가 날 받아주었을 때
내가 느낀 감정은
짝사랑의 마침표

그리고 우리가 헤어지던 날
헤어지기 싫은 내 마음은
영원한 쉼표

그 날 그 시간 그 사람

보통의 날
보통의 시간
보통의 사람들

평범하기 그지없는 똑같은 날들의
반복
그 무한한 반복에서 너란 사람이 생겼고
그 많은 날들의 반복은
나를 반복에서 놓아줬다

초행

인간이란 종만이 가능한
진보의 답보
걸음걸음의 가치가 담긴 거대한 걸음
누구도 가보지 못한 곳을 향해 걷는
길을 잃지 못하는 초행
그 끝에 도달한 뒤 보인 건 역사의 이름
과
마침내 이뤄낸 종의 승리

백야

빛없이 잠긴 달동네거리에
걸음걸음 밟히는 흩뿌려진 눈꽃들
아무도 없는 길가는
나마저도 사라지는 눈부신 백야
그리운 이름들이 지워지는
새하얀 백색의 세계
그리운 이름들을 부르짖는
설화의 축제

겨울

쏟아지는 눈 사이로
멀어져가던 너에게
웃으며 멀어지는 너에게 바치는
외로움에 몸서리치는 설화의 축제
얼어붙은 눈봉오리 터져가는 겨울

고백

어째선지 실수투성이인 오늘
당신께 죄를 짓게 된 인간이 있습니다
죄의 늪은 깊고 어두워서
발버둥 칠수록 더 나를 끌어당깁니다

나를 필요한 것은 당신의 용서
그것의 열쇠는
하나의 고백 그 위로 쏟아지는 무수한 고
백
그리고 이어지는 자비로운 햇살과 같은
용서
고귀한 이름의 해방

얼음

영원을 맹세하며
한 조각 얼음에 써 내린
이름 둘
찰나에 불과한 아름다움처럼
녹아내린 그 조각엔 없어진 이름만이
홀로 눈물짓는다
단지 모든 찰나가 영원을 이룰 뿐
그 어떤 영원도 영원하지 못할 것이란
누군가의 말처럼

백일홍

찬란했던 사랑을
누가 변한다 하던가

기다리다 지쳐
쓰러질지 언정
변치 않을 마음에

한 송이 꽃으로 펴
다시 맺은 인연
비록 꽃으로 나 백일에 돌아갈 테지만
내생에는 만년의 사랑을 할지어다

저녁놀

해가 사선을 따라 저물며
흩뿌린 주홍빛의 물감
주홍빛 광채로
하늘은 가득 차오르고

아롱아롱 떨어지는
꽃잎들은 그 황혼에 젖어
따뜻하게 끝을 맞이합니다

나는 떨어진 꽃잎들을 주어다 보며
활짝 폈던 꽃을 추억하며
작은 미소를 지어 보입니다

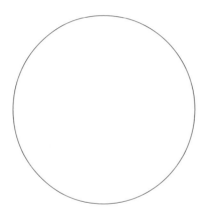

무영무

어느 겨울날
허허로운 벌판
무복차림의 한 사람이 춤을 춘다
춤사위엔 고난이 담긴 듯
짙은 그림자가 있었다

어헤이야
슬픔을 달래주소서

어헤이야
아픔을 잊게하소서

에헤이야
꿈속에 살게하소서

기도를 마친 그의 계절엔
겨울이 지나 봄이 왔고
그의 춤사위엔 그림자가 사라졌다

안개

만물이 잠에 드는
한겨울의 밤
안개 짙게 낀 거리를
어느 외로운 이가 홀로 걷는다
이것은 무너지기 직전인 자의
마지막 걸음이요
앞길이 보이지 않는 자의
숭고한 도전이다
밤을 새며 여명을 기다리며
짙게 낀 안개를 거쳐 앞으로 나아간다

비

검음이 세상을 덮은
깊고 어두운 시간

추적추적 내리는
어느 슬픈 이의 눈물인지

악의에 가득 찬
어느 노한 이의 저주인지

굵은 빗방울은 세상을 누르고
무엇인지 모를 외침은
세상에 아픔을 전한다

몽상

달빛이 비추고
황금빛 들판을 달려
그대에게로 달려갑니다
그러나 거리는 좁혀지지 않고
잡힐 듯한 거리에서 멀어져만 갑니다
마치 꿈인 것마냥 멀어져 가기만 합니다

아 이는 하룻밤의 춘몽이라 말하는 듯 합
니다

꿈에서 깬 나는 여전히 그대를 찾지만
그대는 없고 나는 닿을 수 없는 꿈에
눈물을 흘립니다

연어

난 곳을 떠나
바다로

태어나 난 곳 떠나
바다로

이젠 바다에서 다시
고향으로

꼬리로 수면을 탁탁 쳐대며
오르는 것
고난 길에도 연어의 모험은 그칠 줄을 모
릅니다

비익련리

암수 다정히 끌어안고
날개 한 쌍 피고 날아오른다
눈이 하나면 어떻고
날개가 하나라 문제가 있을쏘냐
함께 하는 것만으로 이미 완벽할 터인데

첫사랑

첫 만남에 마음을 빼앗기고
두 번에 너를 떠올리고
세 번째 만남에 너를 잊기 위해 노력한다
네 번째에 마음을 표현하고
다섯 번째에 관계를 맺고
여섯 번째에 너와 다투고
일곱 번째 만남에 너를 부정했다

미숙한 첫사랑이었고
그랬기에 가장 완벽하고 아름다운 사랑이
었다

미몽의 봄

2월의 끝에
갑자기 찾아온 겨울의 작별 인사
그 인사말을 뒤로하고
이제 막 핀 목련꽃이 봄을 불러온다
강아지풀로 코를 간질여
막 깨운 봄은 눈도 다 못 뜨고
아직 빈 자신을 채워나간다
곧 이곳저곳에는
유채꽃, 벚꽃, 동백꽃이 한가득
피어오르고
진홍빛 봄향이 차오른다
2월의 끝 막 깨어난 미몽의 봄을 우리가
사랑할 수밖에 없는 이유는
그 봄을 가득 채우는 그 진홍빛 순수에
반해 그를 사랑하는 것이 아닐까

그날, 겨울

그날은 어떤 날이었을까
누군가에게는 시리도록 아린 날이었을 테고
다른 이들에게는 그저 추운 날에 불과할
것이다
불타오르던 마음은 잿더미로 남아 바람에
날려 사라지고
목 놓아 울던 어느 이에게는
헤아릴 수 없는 상처를 새겨넣었을 것이
고
기다림에 지쳐 쓰러진 이들에겐
눈물로 밤을 지새우게 하였을 것이다
그리고 어느 겨울날과 같이
어느 아픈 이들의 다친 밤을
거친 눈바람으로 덮었을 것이다

특별할 것 없는 매일이지만
누군가에겐 깊은 의미를 지울 것이고
이루 말할 수 없이 후회와 미안함으로
가득 찬 잊지 못할 날일 것이다

을

내가 너를 사랑하는 만큼의 절반만이라도
너가 나를 사랑했다면
나는 세상에서 두 번째로 많은 사랑을
받는 가장 행복한 사람일 거야
내가 더 사랑하니까
내가 너를 더 원하니까
나는 너의 영원한 을이야

절벽

칼바람 몰아치는
절벽의 끝자락
우리는 모두 그곳에서
떨어짐을 두려워하며 살아간다

추락이란
아직 날개를 못 펼친
어린 새들에겐
가장 두려운 결말이자 저주인 것

그때
최후의 날갯짓이
이 새의 운명을 정하듯이
마지막 발버둥은
우리의 마지막이
끝없는 추락일지
먼 하늘을 향한 비상일지를 결정한다

part2

한 번의 장난

응가

응가는 더러워
냄새가 나지만 상관없어
응가를 참으면 위험하니깐
응가를 하면 시원해
응가를 하는 이유 중 하나야

집 가는 길

집에 가는 길이 아니야
학원 가는 길이 아니야
그냥 가고 싶기 때문이야
가고 싶은데 이유가 없기 때문이야
절대 집은 안 가고 싶은 게 아니란 말이야
단지, 이유가 없는 게 문제란 말이야...
절대 집에 가는 길이 아니야
학원 가는 길도 아니야.

배고파

배부른 건 문제가 없어
고르면 다 먹을 수 있어
파도 파도 뱃살이 계속 나와
뱃살은 뱃살인데
나오는 게 뱃살이 아니야
이미 뱃살을 뛰어넘은 무언가일 거야

누가 그린 기린 그림 가래 뱉은 기린
그림 누가 그린 구름 그림?

네가 그린 기린 그림 잘 그린 기린 그림
내가 그린 기린 그림 못 그린 기린 그림
내가 그린 구름 그림 잘못 그린 구름 그림
네가 그린 구름 그림 잘 못 그린 구름 그림
내가 그린 가래 그림 잘 뱉은 가래 그림
네가 그린 가래 그림 못 뱉은 가래 그림

계란말이를 먹은 건 개란 말이야

내 계란말이 누가 먹었어
누가 내 계란말이를 먹었어!!!
동생이 먹었나 누나가 먹었나
가족에게 화내며 물었다
내 계란말이 누가 먹었어

그러자 동생의 말
계란말이를 먹은 건 개란말이야

난 최강이야

난 최강이야 하지만 아니지
나보다 뛰어난 사람은 많아
세상은 넓고 사람은 많으니
나보다 뛰어난 사람은 많을 수 밖에
하지만 난 나를 최강이라 생각해
난 최강이야